GILBERT DELAHAYE
MARCEL MARLIER

D1105292

martine
princesses et chevaliers

Texte de JEAN-LOUIS MARLIER

CASTERMAN

Martine et sa famille s'activent fièvreusement, et ils ne sont pas les seuls ! La confrérie est présente au grand complet : le boucher, le quincaillier, le facteur, sa sœur médecin et puis tous les autres.

– J'ai encore besoin du tissu orange ! crie Solange.

– Pas facile de confectionner un hennin ! dit Sophie, dont le chapeau trop mou fait la grimace.

– Je n'ai pas l'air trop ridicule avec ces poulaines et ce pourpoint ? s'inquiète papa.

– Patapouf, apporte-moi cette boîte de clous ! demande grand-père. J'en ai besoin pour terminer la décoration du chariot.

À deux pas de là, les fils de Paul s'entraînent dur. L'instituteur joue le maître d'armes. Il leur apprend comment simuler un combat sans jamais se faire mal.

Martine, quant à elle, termine la couture de sa robe avec maman, car demain elle sera princesse !

Le grand jour est arrivé, mais Patapouf n'a pas encore bien compris ce qui se passe.

– Pourquoi cette charrette ? Pourquoi êtes-vous déguisés ?
Où allons-nous ? demande-t-il à Martine.

– Nous partons tous en voyage, lui répond la fillette.

– En voyage ? Mais où ? insiste le chien.

– Très, très loin, et pourtant tout près d'ici. Un pays où il n'y a ni voitures ni bicyclettes. Pas même d'électricité… tu te rends compte ?

– Très loin et tout près ? Martine devient folle, se dit Patapouf… ils sont tous fous !

Hue-dia… le chariot franchit la porte de pierre de la vieille ville.

Mais… c'est bien la rue que Patapouf voit chaque jour et pourtant rien n'est plus pareil, plus de bruits de moteurs ni de klaxons…

Là-bas, Silvaine, la pervenche, dans un drôle d'uniforme, fait disparaître le sens interdit sous un grand drapeau.

Très près et très loin… nous sommes dans la même ville mais … au Moyen-âge.

Sur la place, l'écrivain public propose
calligraphies et lettres d'amour.

La boulangère vend son pain tout chaud et
le colporteur, son élixir miracle.

– Souhaitez-vous un joli pot ? Ou une cruche ? demande un artisan.

Martine éclate de rire en le reconnaissant. C'est Bernard, le banquier qu'elle croise d'habitude en chemise blanche et cravate.

Le voilà aujourd'hui derrière un tour de potier, de la glaise plein les mains.

Plus loin, Sandra tient la quenouille et Cathy montre aux chalands de lourdes étoffes décorées de dragons, de fleurs, de chevaliers.

– Comme ce tissu ferait une jolie robe, se dit Martine.

– Faites place ! Manants !

Tout le monde s'écarte plein d'admiration. Guillaume passe sur son cheval. Il porte l'habit d'un grand personnage, son faucon sur le poing.

Les yeux levés pour
l'admirer, Martine n'a pas vu
l'armure gisant à ses pieds. Elle manque de tomber !

– Oh ! Pardon, monsieur… dit-elle.

– À qui dis-tu monsieur ? demande Patapouf qui s'est approché
prudemment. Il n'y a personne là-dedans.

– Bonjour Martine ! lance gaiement le père Julien. Aujourd'hui je suis
forgeron. J'ai bien du travail ! Ce heaume n'est pas facile à défroisser.
Et BING, et BING. Son gros marteau résonne sur l'enclume.

– Bien le bonjour,

gente damoiselle ! dit une voix derrière Martine.

– Cédric !

Martine est si heureuse de le retrouver. Ça fait tellement longtemps !

– Je t'ai reconnue tout de suite, dit le garçon. Quelle jolie robe !

Idéale pour le bal !

Si tu veux, je t'y emmène… oui ?

Le sourire de Martine est une réponse.

La prenant fièrement par la main, il se fraie un chemin parmi la foule des badauds.

La placette aux oignons est occupée par la cour d'un seigneur et par ses musiciens.

— Acceptez-vous cette danse ? demande Cédric…

Martine n'attendait que cela.

Mais voilà que sonne la cloche de l'église !

— Déjà ? Vite, je vais être en retard pour la quintaine !

— La quintaine ? C'est quoi ? demande Martine.

— Suis-moi et tu verras !

– On ne passe pas ! dit soudain d'une grosse voix le capitaine des archers. Nous recherchons de nouvelles recrues. Voulez-vous essayer ? Double solde à qui mettra la flèche dans la cible de paille, là-bas à quarante pas.

Comme c'est dur de tendre cette corde ! La flèche de Cédric prend son vol mais se fiche dans le sol à peu de distance.

La flèche de Martine… hem, il vaut mieux ne pas en parler.

C'est qu'il faut beaucoup d'entraînement pour utiliser un arc !

Le capitaine les laisse partir. Ils ne seront jamais archers du roi.

Plus loin on se bat à l'épée…

– Je sais que c'est un combat pour rire, dit Martine, mais c'est très impressionnant !

Clang, bling, les épées s'entrechoquent, les moins vaillants préfèrent bien vite rendre les armes. Pas si facile, la vie de chevalier ! Soudain, Bénédicte, la crémière de la rue des hérons entre en lice, forte comme un cheval. Trois tours de poignet et voilà les plus farauds désarmés et honteux…

– Vive Bénédicte, crie en chœur la foule.

– Attention la tête ! Massues et diabolos volent dans les airs.
Envahissant la place, les jongleurs mettent fin aux hostilités.
Deux boules, c'est fastoche ! Trois, c'est déjà plus compliqué !
– Vas-y Martine, plus haut, plus vite !
– Martine ! Viens ! je vais être
en retard ! presse Cédric.

Voilà enfin la quintaine !
Monté sur un cheval, en plein galop
et du bout de la lance, il faut percuter le bouclier
du mannequin ! Mais attention ! Celui-ci se défend
car il tourne sur lui-même et vous frappe par derrière.
Si vous n'êtes pas bon cavalier, gare à vous ;
vous mordrez la poussière !
Cédric monte sur son fier destrier.
Martine s'avance vers lui, très sérieuse.
Et comme le font les princesses pour les preux
chevaliers, elle attache à la lance le ruban de sa coiffe.

16

– Chevalier, je fais de vous mon champion ! dit-elle.

Cédric salue alors l'assemblée qui applaudit et s'avance seul sur le champ clos.

Attention ! Le moment est grave… il se concentre, le cheval frémit… il s'élance !

Frisson dans l'assemblée. Le choc est brutal, la quintaine tourne dans sa terrible riposte… mais Cédric se baisse et évite le choc de justesse…

Ouf ! Martine respire enfin ! Son héros est sain et sauf et il a prouvé sa bravoure.

La nuit est maintenant tombée sur la fête.

– Les émotions, ça creuse, dit Martine.

– Asseyez-vous les enfants, dit une commère, je vais vous préparer pour chacun un beau morceau. Vous m'en direz des nouvelles !

Au-dessus du brasier, gigots et cochons de lait cuisent doucement. Le feu crépite, sa belle lumière caresse les visages.

– Comme on est bien, dit Martine. J'aimerais pouvoir m'endormir là, à la belle étoile, près du feu.

Mais ce n'est pas le moment du coucher.
Un cortège s'avance conduit par la joyeuse musique
d'une flûte et d'un luth. Ce sont les baladins qui s'en viennent conter
fables et historiettes.
– Gentes dames et damoiseaux, approchez de nos tréteaux.
Oyez l'histoire du goupil nommé Renart et de son malheureux
cousin le loup Isengrain.
Et avec quelques masques, la mélodie des voix, la magie des ombres
et des lumières, voilà que tout un bestiaire envahit l'espace.

Puis, les comédiens racontent l'histoire du bon Saint Georges
terrassant la bête.

Soudain, alors que tombent les masques, une flamme fabuleuse monte dans le ciel.

– Au secours, crie Patapouf ! Un dragon !

Pas de dragon, mais des cracheurs de feu. Point final du spectacle, ils illuminent l'espace pour que vive encore la lumière, pour que dure la fête. Tout cela est tellement beau que Martine se sent soudain un peu triste.

– J'avais presque oublié le vrai monde, dit-elle. J'ai du mal à croire que demain tout sera redevenu comme avant.

De nouveau les voitures et tout le reste !

– Oui, mais aussi le téléphone ! dit Cédric ! Maintenant que nous nous sommes retrouvés, on va s'appeler !

– Oui Chevalier, vous avez raison ! dit Martine qui retrouve le sourire ! Allez ! On va fêter ça ! Je t'offre un verre.

– Combien pour deux jus de pomme ?

– Trois Carolus, damoiselle ! dit le vendeur.

Le carolus c'est la monnaie de Charlemagne… vous savez, celui qui, au Moyen-âge, a inventé l'école…

L'école ! Demain c'est aussi l'école ! Martine n'y pensait plus ! Sûr que l'on va y parler beaucoup du Moyen-âge !

– J'ai déjà hâte d'y être pour raconter tout ce que j'ai vu. Allez ! Santé !

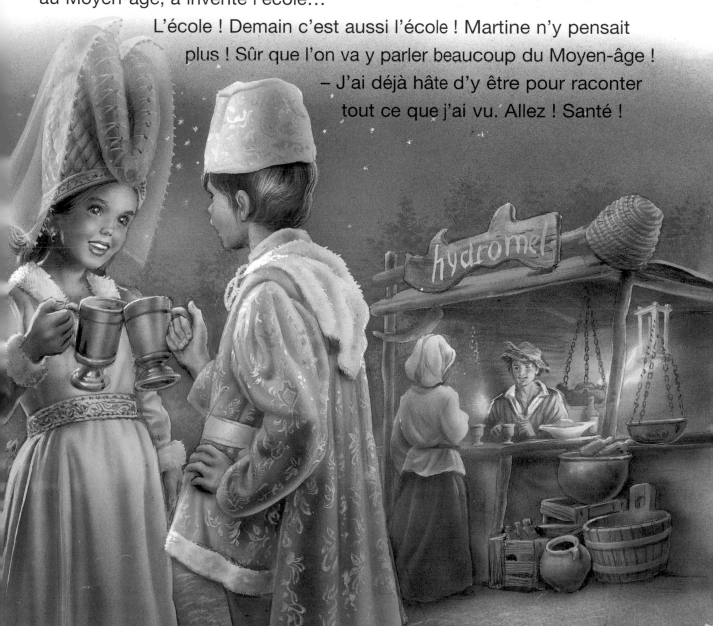

http://www.casterman.com

D'après les personnages créés par Gilbert Delahaye et Marcel Marlier / Léaucour Création.

Achevé d'imprimer en janvier 2014, en Italie par Lego. Dépôt légal : octobre 2004 ; D. 2004/0053/311.

Déposé au ministère de la Justice, Paris (loi n° 49.956 du 16 juillet 1949 sur les publications destinées à la jeunesse).

ISBN 978-2-203-10158-6

L.10EJCNCF5241.C010